Mae'r llyfr Parot Piws
hwn yn perthyn i
....

DEG TYWYSOGES FACH

TEN LITTLE PRINCESSES

MIKE BROWNLOW  SIMON RICKERTY

Addasiad Mared Llwyd

Deg tywysoges fach yn carlamu dros y tir,
Ar eu ffordd i'r ddawns fawreddog, heibio'r castell hardd a'i fur.
Ar garlam, ar garlam a chyffro lond y lle,

Ten little princesses, going to the ball,
Trotting on their ponies, past the castle wall.
Are they looking forward to their very special day?

Deg tywysoges fach yn gweiddi'n llon,

"Hwrê!"

Ten little princesses all shout,

"Yay!"

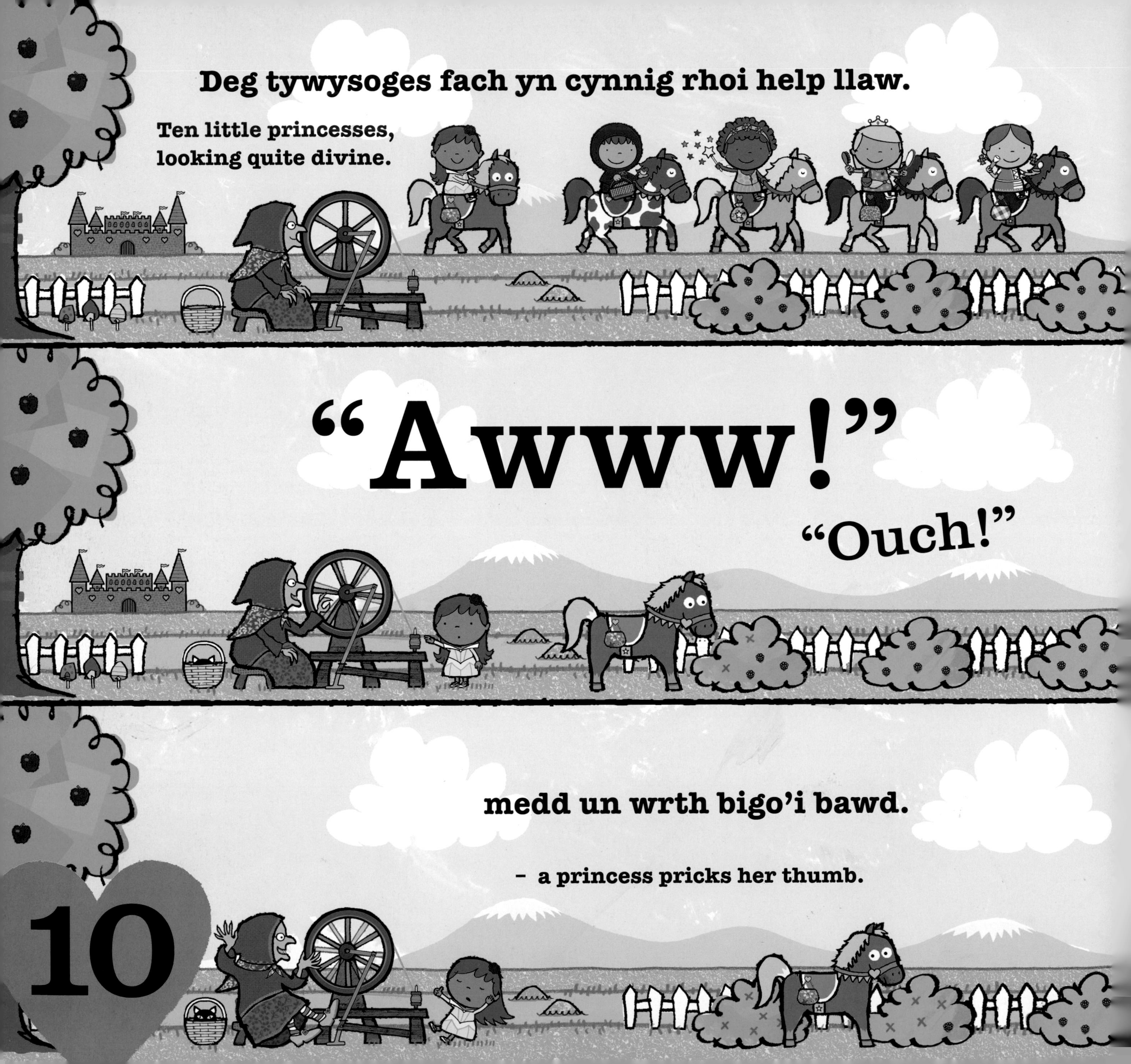
Deg tywysoges fach yn cynnig rhoi help llaw.
Ten little princesses,
looking quite divine.
"Awww!"
"Ouch!"
medd un wrth bigo'i bawd.
– a princess pricks her thumb.
10

Bellach does ond . . .

Now there are . . .

. . . naw.

. . . nine.

Naw tywysoges fach
yn llygadu darn o ffrwyth.

Nine little princesses, running rather late.

"Crensh!"

"Crunch!"

medd yr afal gwenwynig.
Bellach does ond . . .

goes the poisoned apple.
Now there are . . .

. . . wyth.
. . . eight.
Wyth tywysoges fach, ymlaen â nhw ar eu taith.
Eight little princesses pass a prince who's heaven.
"Helô,"
gwena'r tywysog golygus.
Bellach does ond . . .
8

“Hi,”

smiles the charming prince.

Now there are . . .

. . . saith.
. . . seven.
7

Saith tywysoges fach,
tri mochyn a sawl sgrech.
Seven little princesses
hide behind some sticks.
"Wfff!"
chwytha'r blaidd mawr
creulon.
"Huff!"
blows a big bad wolf.
Bellach does ond . . .
Now there are . . .

. . . chwech. . . . six.
Chwe thywysoges fach, eu gwefusau yn sych grimp.
Six little princesses,
trying to survive.
"Ga' i sws?"
hola'r broga'n eiddgar.
"Kissy, kissy?"
begs a frog.
6

Bellach does ond . . .
Now there are . . .

5

Pum tywysoges fach a thortsh a'i olau disglair.

Five little princesses spot a hairy paw.

"Am bishyn!"
chwyrna'r bwystfil.
"You're a beauty,"
growls the Beast.
Bellach does ond . . .
Now there are . . .

. . . pedair.

. . . four.

Pedair tywysoges fach
yn rhy ofnus i yngan gair.

Four little princesses
climb a beanstalk tree.

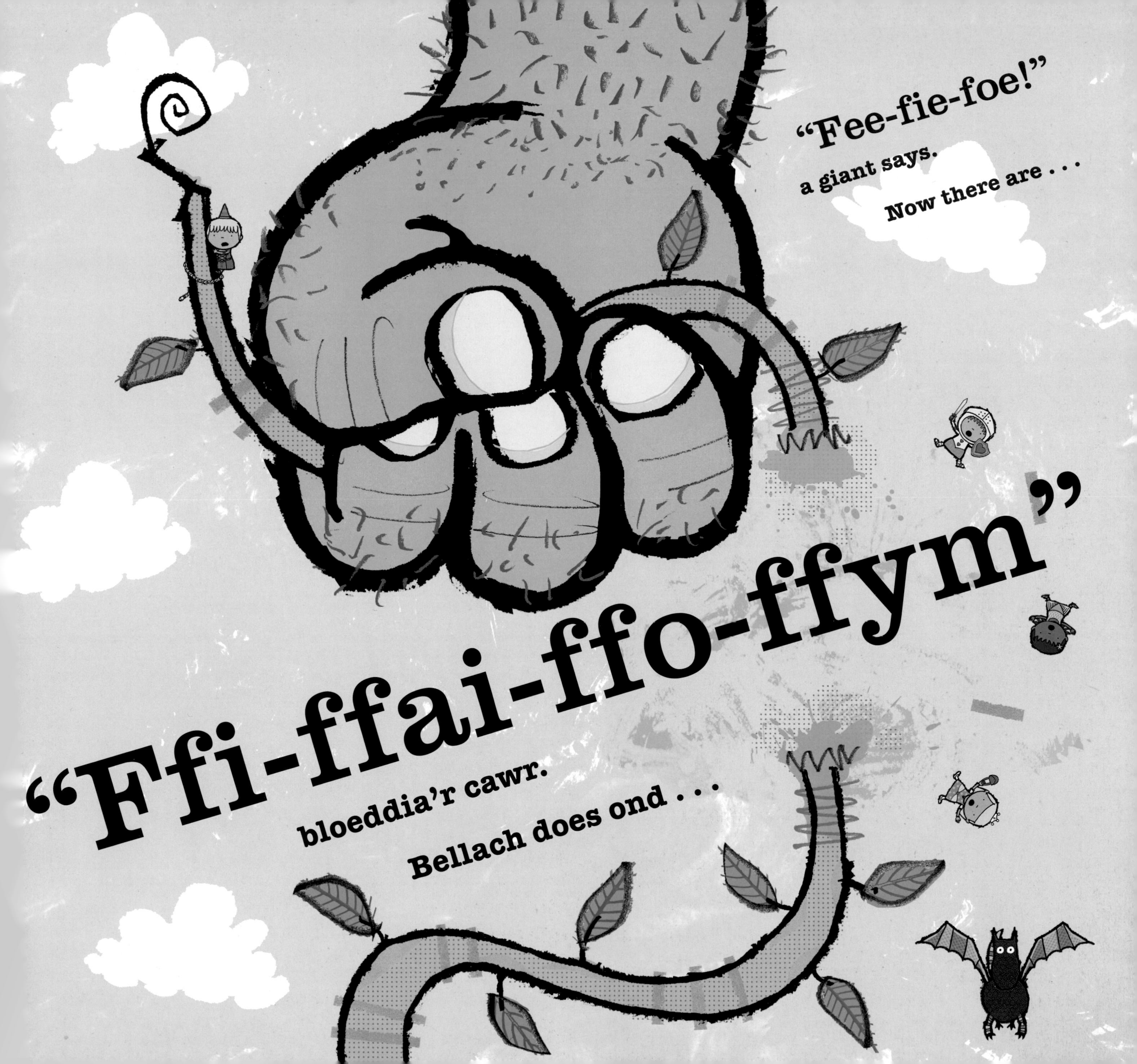
"Fee-fie-foe!"
a giant says.
Now there are . . .
"Ffi-ffai-ffo-ffym"
bloeddia'r cawr.
Bellach does ond . . .

. . . tair.

. . . three.

Three little princesses, really in a stew.

Tair tywysoges fach ar antur fythgofiadwy.

3

Wwwsh!

Whoosh!

rhua'r ddraig frawychus.

roars a dragon's breath.

Bellach does ond . . .

Now there are . . .

. . . dwy.
. . . two.
Dwy dywysoges fach
a phâr o lygaid blin.
Two little princesses,
wondering where to run.
2

"Grrrr!"
chwyrna'r
ellyll cyfrwys.
Bellach does ond . . .
"Grrrr!"
snarls a sneaky troll.
Now there are . . .

. . . un.
. . . one.
1

Un dywysoges fach a'i phen yn ei phlu.
Ei ffrindiau a ddiflannodd –
beth nesaf iddi hi?

One little princess, feeling sad and blue.
All her friends have disappeared.
Whatever can she do?

Un dywysoges fach –
pa ddewis sydd yn awr?
Rhaid galw'r ddewines garedig
gyda'i phelen grisial fawr.

One little princess
makes a special call . . .
She rings her Fairy God Mum
on her mobile crystal ball.

Fairy God Mum waves her wand . . .

Y ddewines sy'n defnyddio'i hud . . .

a daw y lleill yn ôl i gyd!

the others reappear!

Y dihirod ar ffo, ymlaen i'r ddawns.
Mae'n amser bloeddio ynghyd!

The baddies run,
the ball is saved.
It's time to whoop
and cheer!

Deg tywysoges hapus
a cherddoriaeth lond y lle.
Are they feeling happy
as they dance the night away?

Deg tywysoges fach yn gweiddi'n llon, "Hwrê!"
Ten little princesses all shout, "Yay!"

Y fersiwn Saesneg
Ten Little Princesses gan Mike Brownlow a Simon Rickerty

Cyhoeddwyd gyntaf yn 2014 gan *Orchard Books*
338 Euston Road, Llundain NW1 3BH

Mae *Orchard Books* yn adran o *Hachette Children's Books*

Y fersiwn Cymraeg
Addaswyd gan Mared Llwyd
Golygwyd gan Eirian Jones
Dyluniwyd gan Elgan Griffiths
Argraffwyd yn China

Cyhoeddwyd yn Gymraeg gan Atebol Cyfyngedig, Adeiladau'r Fagwyr,
Llanfihangel Genau'r Glyn, Aberystwyth, Ceredigion SY24 5AQ

ISBN 978-1-910574-93-5

www.atebol.com